月亮忘记了

海豚出版社
DOLPHIN BOOKS

CIPG 中国国际出版集团

图书在版编目（CIP）数据

　　月亮忘记了 / 幾米绘. — 北京：海豚出版社，
2010.1（2014.11 重印）

　　ISBN 978-7-80138-802-5

　　Ⅰ.①月... Ⅱ.①幾... Ⅲ.①漫画 - 作品集 - 中国 -
现代 Ⅳ. ①J228.2

中国版本图书馆CIP数据核字 (2009) 第219727号

本书由台湾大块文化出版股份有限公司授权出版
版权登记号：01-2009-7730

总 策 划：郝明义　俞晓群
责任编辑：吴　蓓　孟科瑜　孙时然
责任印制：王瑞松

出　　版：海豚出版社
网　　址：http://www.dolphin-books.com.cn
地　　址：北京市百万庄大街24号　邮　编：100037
电　　话：010-68997480（销售）　010-68998879（总编室）
传　　真：010-68998879
印　　刷：北京科彩印业有限公司
经　　销：新华书店及各大网络书店
开　　本：16 开（850毫米 ×1010毫米）
印　　张：7.5
字　　数：2.5 千
版　　次：2010年1月第1版　2014年11月第29次印刷
印　　数：297001～307000
标准书号：ISBN 978-7-80138-802-5
定　　价：32.00 元

幾米

月亮忘记了
The Moon Forgets

看见的，看不见了。
夏风轻轻吹过，在瞬间消失无踪，

记住的，遗忘了。
只留下一地微微晃动的迷离树影……

看不见的，是不是等于不存在？
也许只是被浓云遮住，
也许刚巧风沙飞入眼帘，
我看不见你，却依然感到温暖。

每一个黄昏过后，大家焦虑地等待，却再也没有等到月亮升起。

潮水慢慢平静下来，海洋凝固成一面漆黑的水镜，世界变得清冷幽寂。

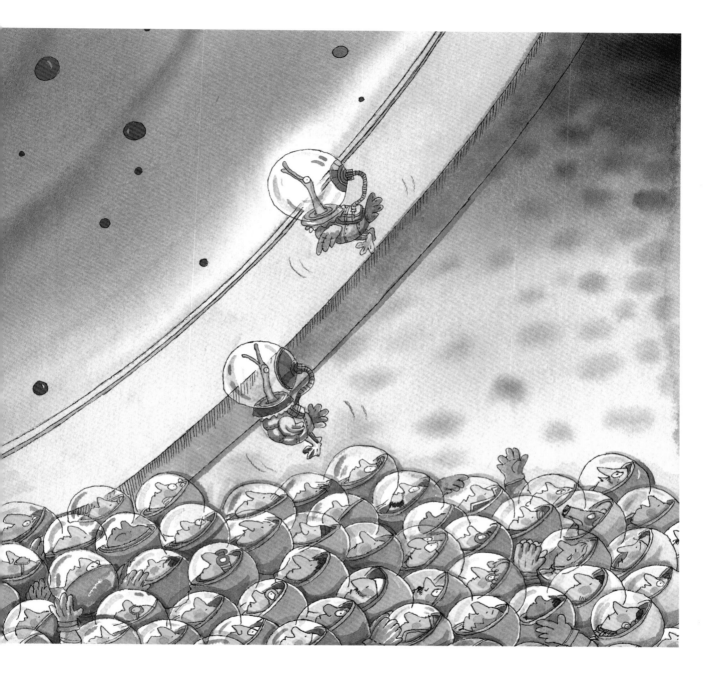

正要登陆月球的太空船，在星海中迷航，没有人知道他们在哪里。

科学家沮丧得发狂，国王像孩子般无助地望着天空发呆。

没有人知道该怎么办？

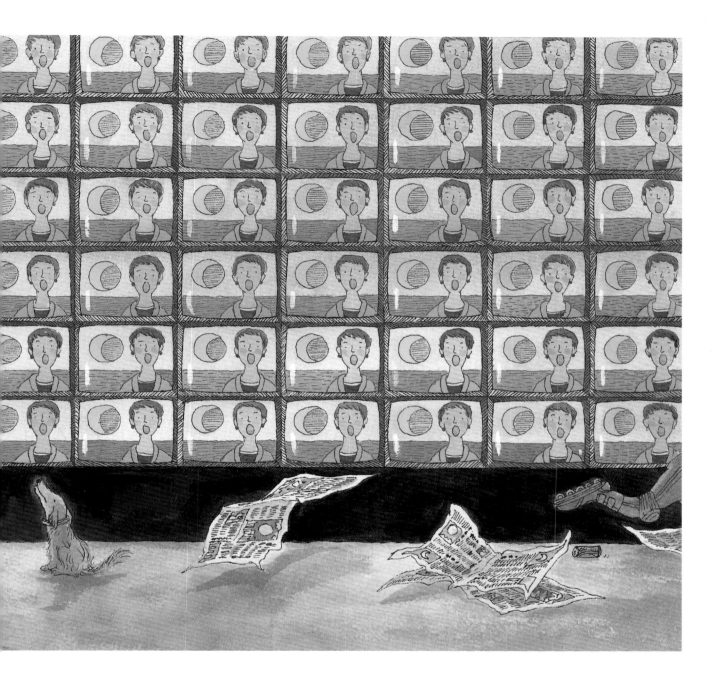

电视不断重复播报月亮失踪的消息，世界末日的恐慌瞬间弥漫全球。

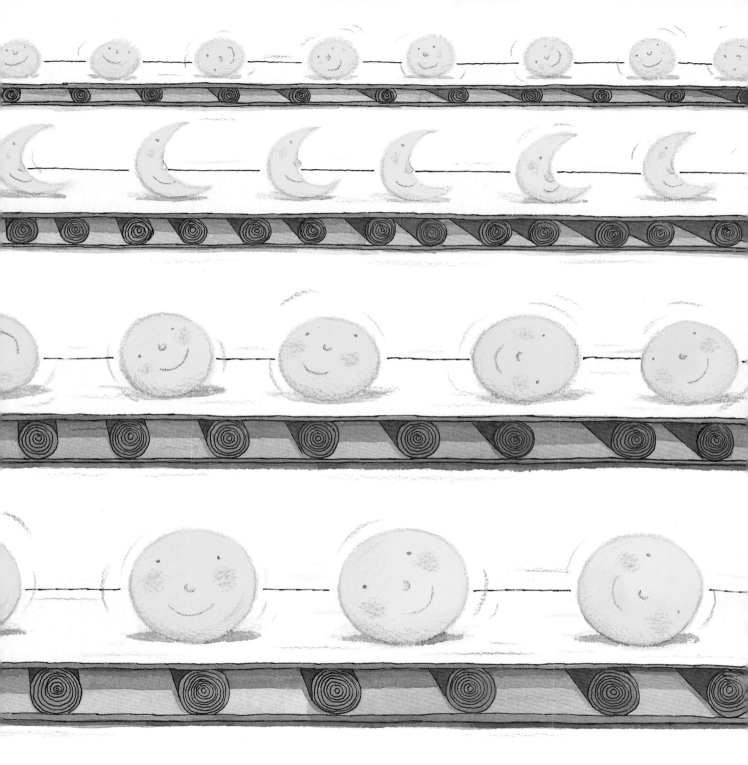

还好，月亮出来了。

一车车微笑的月亮，运往每个哀伤的黑暗城市。

莹润可爱的月亮，发出温柔的光芒，焦虑的人们，暂时忘记害怕。

它们永远不会忧伤，
它们永远带着甜蜜笑容。

从窗口望出去，又可以看到皎洁的明月，世界又恢复一片欢乐。

他们在无意间相遇，
却为幽暗的生命带来温柔美好的光亮。

男孩为他包上柔软的毛巾。点
上一盏小灯为他取暖。

将他抱在怀中，轻轻摇晃。
温柔地为他唱歌，对他说话。
月亮慢慢地张开眼睛，
发出一点幽微的光亮。

一开始，他像个婴儿般地只会
左右晃动，光芒忽明忽灭。

慢慢地，他学会滚动，
顽皮地在屋里四处走动。

午夜时分，
他偶尔会不由自主地飘了起来，但他有些怕高。

他的光芒，每天都有小小的变化。
他安安静静地慢慢长大了。

太阳出来时，他总是晦暗地沉睡不醒。

太阳下山后，却精神抖擞地清亮起来。

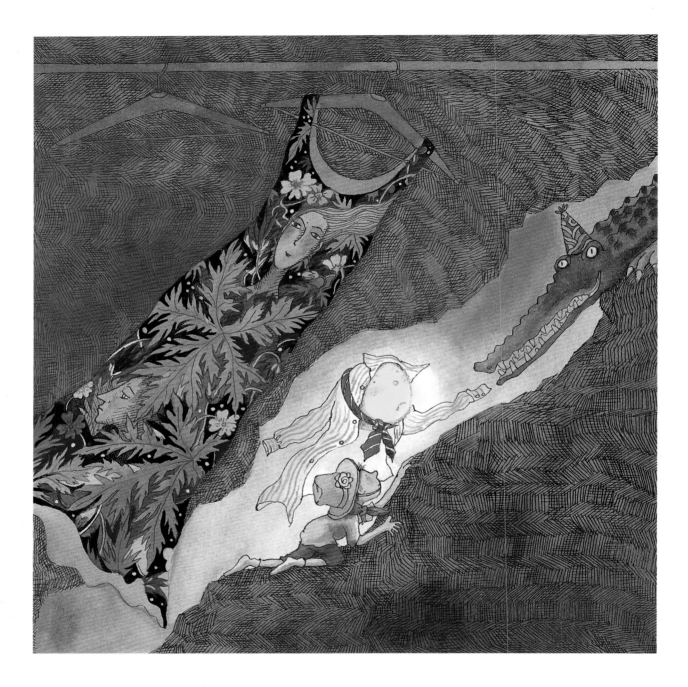

他们躲进妈妈的衣柜，想象掉落神秘无底的黑洞。
妈妈一直都找不到他。

他们在海上漂流了三天三夜，还遇到海啸与恐怖的鲨鱼。
妈妈忙得没空来救他。

他们脸上涂满颜色，做出可怕的表情，还大声尖叫。
妈妈却一点也没被吓到。

月亮学会空中旋转的那个晚上，他们在窗前整夜跳舞。
妈妈早就累得睡着了。

世界停电的夜晚，他们爬到屋顶，静静欣赏黑暗世界的惊喜。
没有人与他们分享这神秘安静的时刻。

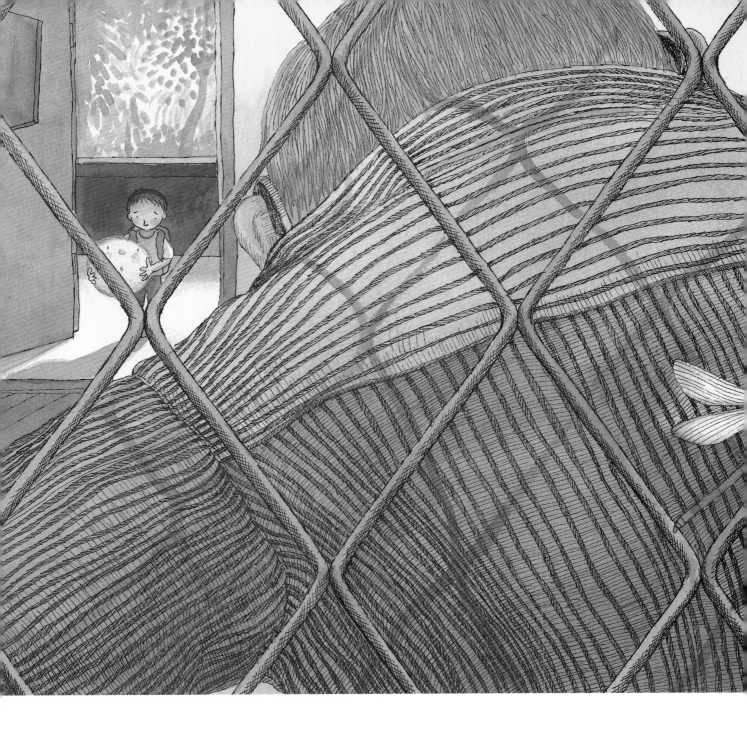

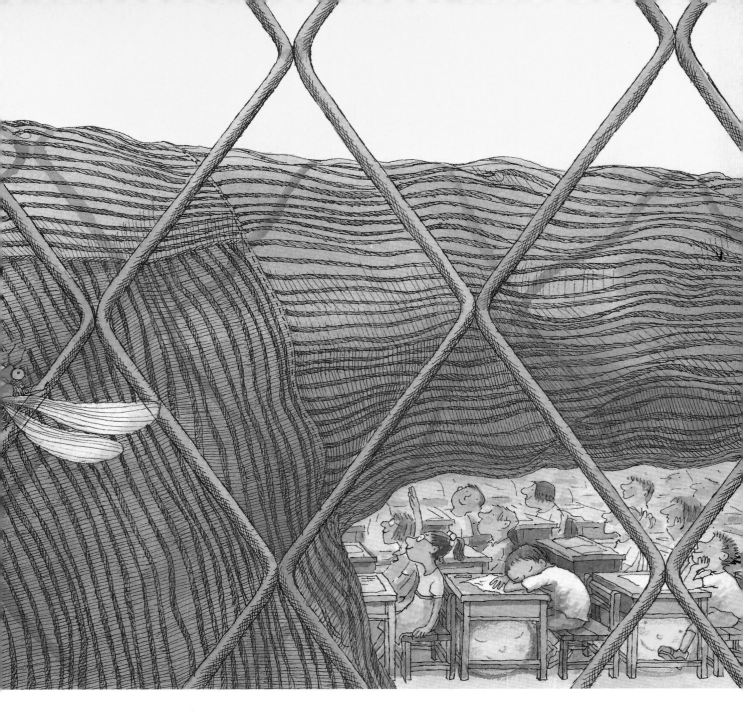

渐渐地，男孩上学总是迟到，上课时总是沉沉睡去。

渐渐地，他的朋友愈来愈少，他跟月亮也愈来愈孤单。

"你是天上掉下来的月亮吗？"
"你记得你的家在哪里吗？"
"你害怕一个人回到天空吗？"

白云缓缓飘过，小鸟在林中唱着忧伤的歌曲，天色渐渐暗了下来。

他们发现池塘里的小鱼，在月亮靠近时，会微笑着朝他游过来。

草丛里飞舞的萤火虫，就好像在人间起舞的点点繁星。

他们喜欢在雨中散步，
聆听雨水滴滴答答落在伞面的清脆声音。

秘密基地里的玫瑰花，在夜晚幽幽绽放迷人的芳香。

男孩打电话给在远方的爸爸，
兴奋地诉说：
　　"我有一个真正的月亮喔，当我快乐或难过的时候，
　　他都会陪着我，我要永远和他在一起……"

爸爸只是回答："要乖乖听妈妈的话。"

日子一切如常，路灯不断增加。
科学家有着更多解不开的困惑，
太空人依旧在星际里迷航。

公园里的大树毫无来由地突然枯萎，
叶子在瞬间落尽，
黯淡无光的月亮垂挂在枯枝上，
萧瑟地迎风摇晃。

河水不再流动，宛如一滩死水。
天气变得十分怪异，在热天午后，竟飘起了漫天大雪。

街边角落堆满了丢弃的月亮。城市里似乎隐匿着各式各样的怪兽，
处处充满着危机，每个人的情绪似乎都变得暴烈异常。

记住的，是不是永远不会消失？
我守护如泡沫般脆弱的梦境，
快乐才刚开始，悲伤却早已潜伏而来。

早上，校长演讲时说："世界上本来就不需要月亮，小朋友不要……"
讲到这里，他突然口吐白沫，倒地不起。

可怕的是，没有人想要去救他。

放学时，老师生气地对男孩说："明天请妈妈到学校来一趟。"
并要求他不要再带月亮到学校来了。

傍晚，爸爸打电话来，他和妈妈讲了好久，妈妈却始终一言不发。
晚上，房间传来低声的啜泣，屋里的气氛安静得令人感到窒息。

世界好像被宇宙遗弃了。

但是，最深的黑夜即将过去，
你看，月亮出来了。

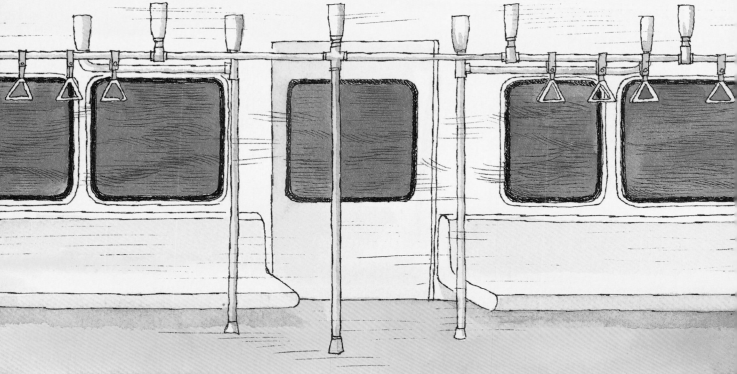

一夜之间，月亮记起许多往事……

飘到高空时也不再感到害怕。

但是……

他却再也无法回到男孩的家。

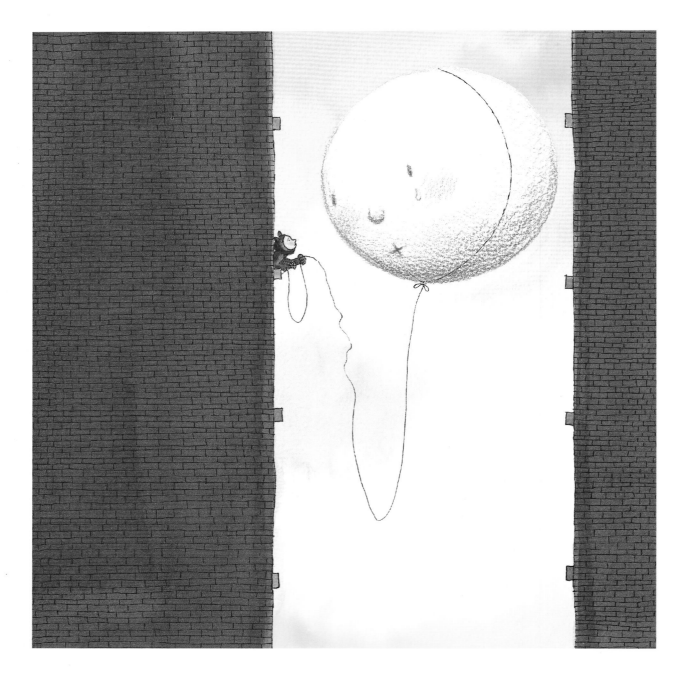

月亮飘到窗外，看着熟悉的景物，着急地发出低沉的呜咽。

男孩更是难过地俯在墙角大声哭泣。

暴风雨来了，男孩忧伤地问："你还想听听伞下的雨声吗？"
月亮点点头。

他替月亮撑起一把伞。

雨，滴滴答答地敲出轻快的旋律。

黄昏的时候，一阵突来的狂风，将他们吹得好远好远，他紧紧抱住他的月亮。

风在耳边尖锐地呼啸，雨不断地迎面打来。

他们奋力穿过一层层浓密的乌云，不知过了多久，世界突然安静下来。

所有的喧闹在瞬间退至远方，
所有的烦恼消失无踪，
点点星光在四周缓缓流动……

他们感到非常快乐。

月亮轻轻地转动，男孩慢慢地睡着，梦中依稀闻到一股淡淡的百合花香。

看不见的，看见了。
夏风轻轻吹过，草丛树叶翻舞飞扬。

遗忘的，记住了。
乌云渐渐散去，一道柔和的月光洒落在窗前……

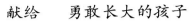

献给　　勇敢长大的孩子